KB084123

Relative Intents

Hur Jin

Re·See·Pic

일렁이는 그림자를 쫓다 보면

이내 빛에 도달한다.

그 사이 어딘가에 있었다.

[3] Barcelona, Spain, 2023.

[5] Malaga, Spain, 2023.

[7] Zaragoza, Spain, 2023.

[9] Teruel, Spain, 2023.

[11] Teruel → Valencia, Spain, 2023.

[13] Valencia, Spain, 2023.

[15] Zaragoza, Spain, 2023.

[19] Murcia, Spain, 2023.

[21] Barcelona, Spain, 2023.

[23] Barcelona, Spain, 2023.

[25] Malaga, Spain, 2023.

[28] Barcelona, Spain, 2023.

허진 Hur Jin

흘러가는 시공간에 이따금 사진이라는 꼬리표를 달고
그것을 모아 전시와 책으로 엮어가고 있습니다.
사진카페 옥키와 출판사 레시픽에서 늘 궁리 중입니다.

63/100.

Relative Intents

글·사진 **허진** ©2023

1판 1쇄 인쇄 2023년 8월 25일 | 1판 1쇄 발행 2023년 8월 28일

기획 편집 **허진** | 디자인 **조한샘**
펴낸이 **허진** | 펴낸곳 **레시픽** | 등록 **2017년 4월 20일(제2017-000044호)**
주소 **서울시 중구 삼일대로4길 19, 2층** | 전화 **070-4233-2012**
이메일 **reseepics@gmail.com** | 인스타그램 **instagram.com/reseepic**
판매처 **http://smartstore.naver.com/cafeoki**

ISBN 979-11-90753-08-1 02660